THE MOST POWERFUL JOURNAL OF THE PLANET

The Best Daily Journal and Fastest Way to Slow Down, Power Up, and Get Sh*t Done

THE
5 SECOND JOURNAL

5秒法則
行動筆記的力量
倒數 54321, GO! 超效計畫每一天

梅爾 · 羅賓斯 Mel Robbins ── 著

吳宜蓁 ── 譯

U0136003

為了你，
我創造出五秒法則行動筆記

　　過去很長一段時間，我是那種忙碌但沒效率的人。我是專業的待辦事項清單達人，我買了筆記和螢光筆，讓我覺得好像生活都在掌握中。但有一個問題，那就是不管我多麼努力，我總是找不到時間做重要的事。

　　在原地打轉好多年後，我終於找到了解答，那就是「科學」。

　　起初只是為了研究，隨著我發現驚人的生產力、幸福感和自信妙招之後，讓我十分樂在其中。當我開始把這些證實有效的策略，運用在自己的生活和工作上，馬上就有明顯的改善。

　　現在，我想和大家分享。在這些頁面中，你將會學到一個簡單且具有研究基礎的筆記法，讓你得以規劃你的一天、你的時間和你的將來。

　　所以，請抱持著熱情、遠大的目標和開放的心態，打開這扇門吧！

　　你即將學到如何

　　5-4-3-2-1……把事情迅速做完、做好！

世界上最強大的筆記

運用科學，這本筆記將會釋放宇宙最強大的力量——你。

現在，你正在壓抑自己，而且你還渾然不覺。五秒法則行動筆記將告訴你一個最簡單的方法，讓你奪回掌控權，在重要事上有所進展，並且感到無敵美妙的自豪、熱情和自信！

想知道更多關於該研究內容、研究方法和案例研究，請至 www.5secondjournal.com。

☑ 把事情迅速做完、做好

你不僅能完成更多工作，而且只要花一半時間就能完成。你的人生太重要了，不能花在拖延上。每天投資一點點時間在這裡，而你得到的回報，是心理學、組織行為學和神經科學共同提供的最佳工具。

👄 與多到不行的雜事吻別

別再被你的待辦事項束縛，開始做重要的工作。每天塞滿了瑣碎雜事，不會帶來有意義的生活。這本筆記會讓你把注意力集中在最重要的事上，即使是在電話會議和出差時。

🤟 培養出搖滾巨星般的自信

自信是你可以建立的技能。沒錯，就是你。而且自信沒有你以為的那麼難。每一天，這本筆記都會把你往前推一點點，踏出你的舒適圈，你會開始為自己感到驕傲，自信逐漸增加。

🔥 點燃你的熱情

想要過更有熱情的生活嗎？那就停止專注於那些會把你榨乾的鳥事。我說真的，這本筆記會告訴你一個很酷的方法，讓你大幅提升能量，深入到內在禪，它最清楚什麼能點燃你的火焰。

🎯 掌握自己的生活

如果這一天要結束了，你才開始懷疑這一整天自己都在幹麼，那這時候就該回顧一下了。運用哈佛商學院的研究，你會學到一個簡單的心態技巧，讓你專注於最重要的事，也就是掌握生活的祕密。

😊 成為最快樂的自己

科學證實，早晨的心情會影響你的一整天。這就是為什麼這本筆記的設計，是一開始就提升你的情緒，這樣你一整天都能是個更快樂、更聰明、更積極的人。因為，快樂的人才能把事情做完、做好。

如何輕鬆喚醒每一天的行動力

❶
記錄時間和地點，
幾年之後你就能
記得這一刻。

❷
評估你現在的
能量值。

❸
描述你的能量值，
釐清原因。

❹
去做些能讓你提升
能量的事，釋放你
內心的熱情。

❺
在你的一天被占據
之前，先描述你當
天的首要任務。

❻
藉由描述為什麼這
件事情對你很重要，
來強化你對行動的
承諾。

❼
哈佛商學院的研究人
員說，只要向前邁出
一小步，就可以利用
「進展原則」來提高
幸福感。

❽
利用這個空間寫下任
何你想包含在本日計
畫中的事。

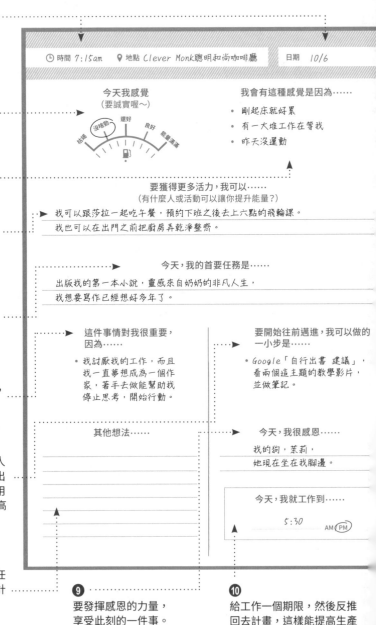

⏱ 時間 *7:15am*　♀ 地點 *Clever Monk聰明和尚咖啡廳*　日期 *10/6*

今天我感覺
（要誠實喔～）

沒啥勁　還好　良好　能量滿滿　拉緊

我會有這種感覺是因為……
- 剛起床就好累
- 有一大堆工作在等我
- 昨天沒運動

要獲得更多活力，我可以……
（有什麼人或活動可以讓你提升能量？）
▶ *我可以跟莎拉一起吃午餐，預約下班之後去上六點的飛輪課。*
我也可以在出門之前把廚房弄乾淨整齊。

今天，我的首要任務是……
出版我的第一本小說，靈感來自奶奶的非凡人生，
我想要寫作已經想好多年了。

這件事情對我很重要，
因為……
- *我討厭我的工作，而且*
  我一直夢想成為一個作
  家，著手去做能幫助我
  停止思考，開始行動。

要開始往前邁進，我可以做的
一步是……
- *Google「自行出書 建議」，*
  看兩個這主題的教學影片，
  並做筆記。

其他想法……

今天，我很感恩……
我的狗，茉莉，
她現在正坐在我腳邊。

今天，我就工作到……
5:30
AM **PM**

❾
要發揮感恩的力量，
享受此刻的一件事。

❿
給工作一個期限，然後反推
回去計畫，這樣能提高生產
力，確保生活的平衡。

筆記——今日規劃——想法
（自由空間讓你的思緒更自由）　　　　　　◀ ··················

⓫
每一天都不同，因此本頁的設計就是保持靈活度，以符合你的需求。

☀

6:00　五秒法則行動筆記

7:00　　　　　　　　　　會議筆記

8:00　通勤－打電話給媽　　·發行日期：5月8日——新網站4月
　　　　　　　　　　　　　6日前上線。跟特洛伊一起把內容
9:00　計畫工作日　　　　　弄出來，在2月15日前準備就緒。

10:00　　　　　　　　　　·安排4月的飛機。跟旅行社確定旅
10:30　打銷售電話　　　　館和租車資訊。
11:00

　　　　　　　　　　　　·聯絡印刷廠，確定出貨日1月31日。
12:00　跟莎拉吃午餐
　　　　　　　　　　　　·安排後續會議。

1:00

⓬
用這一頁來寫日誌、做筆記或把待辦事項和重要的想法都寫上去。這是你充分利用一天的空間。

2:00　完成PPT

3:00

4:00　小組會議　　　　　　　今天必辦事項：
　　　　　　　　　　　　　　·繳信用卡費
5:00　　　　　　　　　　　　·改Netflix密碼
5:30　停止工作　　　　　　　·健身房會員
6:00

7:00　飛輪課

8:00　執行時間！☺ ···◀

☾
　　　你超棒！征服這一天！

⓭
方便的時間表可以用來計畫和安排一整天。

5-4-3-2-1

把事情迅速做完、做好！

時間　　　📍 地點　　　　　　　　　　　　　　日期

今天我感覺
（要誠實喔～）

我會有這種感覺是因為……

-
-
-

要獲得更多活力，我可以……
（有什麼人或活動可以讓你提升能量？）

今天，我的首要任務是……

這件事情對我很重要，
因為……

-

要開始往前邁進，我可以做的
一小步是……

-

其他想法……

今天，我很感恩……

今天，我就工作到……

―――――――――― AM / PM

☀

6:00

7:00

8:00

9:00

10:00

11:00

12:00

1:00

2:00

3:00

4:00

5:00

6:00

7:00

8:00

☾

你超棒！征服這一天！

今天我感覺
（要誠實喔～）

枯竭　沒啥勁　還好　良好　能量滿滿

我會有這種感覺是因為⋯⋯

-
-
-

要獲得更多活力，我可以⋯⋯
（有什麼人或活動可以讓你提升能量？）

今天，我的首要任務是⋯⋯

這件事情對我很重要，
因為⋯⋯

-

要開始往前邁進，我可以做的
一小步是⋯⋯

-

其他想法⋯⋯

今天，我很感恩⋯⋯

今天，我就工作到⋯⋯

⋯⋯⋯⋯⋯⋯ AM / PM

☀

6:00
_____

7:00
_____

8:00
_____

9:00
_____

10:00
_____

11:00
_____

12:00
_____

1:00
_____

2:00
_____

3:00
_____

4:00
_____

5:00
_____

6:00
_____

7:00
_____

8:00
_____

☾

你超捧！征服這一天！👊♟♛

今天我感覺
（要誠實喔～）

拮据　沒啥勁　還好　良好　能量滿滿

我會有這種感覺是因為……

-
-
-

要獲得更多活力，我可以……
（有什麼人或活動可以讓你提升能量？）

今天，我的首要任務是……

這件事情對我很重要，
因為……

-

要開始往前邁進，我可以做的
一小步是……

-

其他想法……

今天，我很感恩……

今天，我就工作到……

———————————— AM / PM

筆記——今日規劃——想法
（自由空間讓你的思緒更自由）

☀

6:00

7:00

8:00

9:00

10:00

11:00

12:00

1:00

2:00

3:00

4:00

5:00

6:00

7:00

8:00

☾

你超棒！征服這一天！🏋👑

今天我感覺
（要誠實喔～）

我會有這種感覺是因為……

·

·

·

要獲得更多活力，我可以……
（有什麼人或活動可以讓你提升能量？）

今天，我的首要任務是……

這件事情對我很重要，因為……

·

要開始往前邁進，我可以做的一小步是……

·

其他想法……

今天，我很感恩……

今天，我就工作到……

———————————————— AM / PM

☀

6:00

7:00

8:00

9:00

10:00

11:00

12:00

1:00

2:00

3:00

4:00

5:00

6:00

7:00

8:00

☾

你超棒！征服這一天！

今天我感覺
（要誠實喔～）

我會有這種感覺是因為……

- ·
- ·
- ·

要獲得更多活力，我可以……
（有什麼人或活動可以讓你提升能量？）

_____

_____

今天，我的首要任務是……

_____

_____

這件事情對我很重要，
因為……

- ·

其他想法……

_____

_____

_____

_____

_____

_____

要開始往前邁進，我可以做的
一小步是……

- ·

今天，我很感恩……

_____

_____

今天，我就工作到……

_____ AM / PM

☀

6:00

7:00

8:00

9:00

10:00

11:00

12:00

1:00

2:00

3:00

4:00

5:00

6:00

7:00

8:00

☾

你超棒！征服這一天！

時間　　　📍 地點　　　　　　　　　　　日期

今天我感覺
（要誠實喔～）

枯竭　沒啥勁　還好　良好　能量滿滿

我會有這種感覺是因為……

-
-
-

要獲得更多活力，我可以……
（有什麼人或活動可以讓你提升能量？）

今天，我的首要任務是……

這件事情對我很重要，
因為……

-

要開始往前邁進，我可以做的
一小步是……

-

其他想法……

今天，我很感恩……

今天，我就工作到……

——————————————— AM / PM

筆記——今日規劃——想法
(自由空間讓你的思緒更自由)

☀

6:00

7:00

8:00

9:00

10:00

11:00

12:00

1:00

2:00

3:00

4:00

5:00

6:00

7:00

8:00

☾

你超棒！征服這一天！💪♟♕

今天我感覺
（要誠實喔～）

枯竭　沒啥勁　還好　良好　能量滿滿

我會有這種感覺是因為……

·

·

·

要獲得更多活力，我可以……
（有什麼人或活動可以讓你提升能量？）

今天，我的首要任務是……

這件事情對我很重要，
因為……

·

要開始往前邁進，我可以做的
一小步是……

·

其他想法……

今天，我很感恩……

今天，我就工作到……

—— AM / PM

☀️

6:00

7:00

8:00

9:00

10:00

11:00

12:00

1:00

2:00

3:00

4:00

5:00

6:00

7:00

8:00

🌙

你超棒！征服這一天！ 💪 👑

今天我感覺
（要誠實喔～）

枯竭　沒啥勁　還好　良好　能量滿滿

我會有這種感覺是因為……

-
-
-

要獲得更多活力，我可以……
（有什麼人或活動可以讓你提升能量？）

今天，我的首要任務是……

這件事情對我很重要，
因為……

-

要開始往前邁進，我可以做的
一小步是……

-

其他想法……

今天，我很感恩……

今天，我就工作到……

……………………… AM / PM

☀

6:00

7:00

8:00

9:00

10:00

11:00

12:00

1:00

2:00

3:00

4:00

5:00

6:00

7:00

8:00

☾

你超棒！征服這一天！💪👑

今天我感覺
（要誠實喔～）

枯竭　沒啥勁　還好　良好　能量滿滿

我會有這種感覺是因為……

-
-
-

要獲得更多活力，我可以……
（有什麼人或活動可以讓你提升能量？）

今天，我的首要任務是……

這件事情對我很重要，
因為……

-

要開始往前邁進，我可以做的
一小步是……

-

其他想法……

今天，我很感恩……

今天，我就工作到……

-------- AM / PM

筆記——今日規劃——想法
（自由空間讓你的思緒更自由）

☀

6:00

7:00

8:00

9:00

10:00

11:00

12:00

1:00

2:00

3:00

4:00

5:00

6:00

7:00

8:00

🌙

你超棒！征服這一天！ 💪 👑

今天我感覺
（要誠實喔～）

枯竭　沒啥勁　還好　良好　能量滿滿

我會有這種感覺是因為……

-
-
-

要獲得更多活力，我可以……
（有什麼人或活動可以讓你提升能量？）

今天，我的首要任務是……

這件事情對我很重要，
因為……

-

要開始往前邁進，我可以做的
一小步是……

-

其他想法……

今天，我很感恩……

今天，我就工作到……

———————— AM / PM

☀

6:00

7:00

8:00

9:00

10:00

11:00

12:00

1:00

2:00

3:00

4:00

5:00

6:00

7:00

8:00

☾

你超棒！征服這一天！

今天我感覺
（要誠實喔～）

我會有這種感覺是因為……

-
-
-

要獲得更多活力，我可以……
（有什麼人或活動可以讓你提升能量？）

今天，我的首要任務是……

這件事情對我很重要，
因為……

-

要開始往前邁進，我可以做的
一小步是……

-

其他想法……

今天，我很感恩……

今天，我就工作到……

---- AM / PM

☀

6:00

7:00

8:00

9:00

10:00

11:00

12:00

1:00

2:00

3:00

4:00

5:00

6:00

7:00

8:00

☾

你超棒！征服這一天！

今天我感覺
（要誠實喔～）

我會有這種感覺是因為……

-
-
-

要獲得更多活力，我可以……
（有什麼人或活動可以讓你提升能量？）

今天，我的首要任務是……

這件事情對我很重要，
因為……

-

要開始往前邁進，我可以做的
一小步是……

-

其他想法……

今天，我很感恩……

今天，我就工作到……

—— AM / PM

筆記——今日規劃——想法
（自由空間讓你的思緒更自由）

☀

6:00

7:00

8:00

9:00

10:00

11:00

12:00

1:00

2:00

3:00

4:00

5:00

6:00

7:00

8:00

☾

你超棒！征服這一天！ 🏋♛

今天我感覺
（要誠實喔～）

枯竭　沒啥勁　還好　良好　能量滿滿

我會有這種感覺是因為……

-
-
-

要獲得更多活力，我可以……
（有什麼人或活動可以讓你提升能量？）

今天，我的首要任務是……

這件事情對我很重要，因為……

-

要開始往前邁進，我可以做的一小步是……

-

其他想法……

今天，我很感恩……

今天，我就工作到……

————————— AM / PM

☀

6:00

7:00

8:00

9:00

10:00

11:00

12:00

1:00

2:00

3:00

4:00

5:00

6:00

7:00

8:00

☾

你超棒！征服這一天！

今天我感覺
（要誠實喔～）

我會有這種感覺是因為……

-
-
-

要獲得更多活力，我可以……
（有什麼人或活動可以讓你提升能量？）

今天，我的首要任務是……

這件事情對我很重要，
因為……

-

要開始往前邁進，我可以做的
一小步是……

-

其他想法……

今天，我很感恩……

今天，我就工作到……

————————— AM / PM

☀

6:00

7:00

8:00

9:00

10:00

11:00

12:00

1:00

2:00

3:00

4:00

5:00

6:00

7:00

8:00

☾

你超棒！征服這一天！💪🍸👑

今天我感覺
(要誠實喔～)

我會有這種感覺是因為……

-
-
-

要獲得更多活力，我可以……
(有什麼人或活動可以讓你提升能量？)

今天，我的首要任務是……

這件事情對我很重要，
因為……

-

要開始往前邁進，我可以做的
一小步是……

-

其他想法……

今天，我很感恩……

今天，我就工作到……

———————— AM / PM

☀

6:00

7:00

8:00

9:00

10:00

11:00

12:00

1:00

2:00

3:00

4:00

5:00

6:00

7:00

8:00

☾

你超棒！征服這一天！💪♟♛

今天我感覺
（要誠實喔～）

枯竭　沒啥勁　還好　良好　能量滿滿

我會有這種感覺是因為……

-
-
-

要獲得更多活力，我可以……
（有什麼人或活動可以讓你提升能量？）

今天，我的首要任務是……

這件事情對我很重要，
因為……

-

其他想法……

要開始往前邁進，我可以做的
一小步是……

-

今天，我很感恩……

今天，我就工作到……

————————————————— AM / PM

☀

6:00

7:00

8:00

9:00

10:00

11:00

12:00

1:00

2:00

3:00

4:00

5:00

6:00

7:00

8:00

☾

你超棒！征服這一天！ 💪 ♟ 👑

今天我感覺
（要誠實喔～）

我會有這種感覺是因為……

-
-
-

要獲得更多活力，我可以……
（有什麼人或活動可以讓你提升能量？）

今天，我的首要任務是……

這件事情對我很重要，
因為……

-

要開始往前邁進，我可以做的
一小步是……

-

其他想法……

今天，我很感恩……

今天，我就工作到……

—————————————— AM / PM

筆記──今日規劃──想法
（自由空間讓你的思緒更自由）

☀

6:00

7:00

8:00

9:00

10:00

11:00

12:00

1:00

2:00

3:00

4:00

5:00

6:00

7:00

8:00

☾

你超棒！征服這一天！ 💪 ♟ ♛

今天我感覺
（要誠實喔～）

枯竭　沒啥勁　還好　良好　能量滿滿

我會有這種感覺是因為……

•

•

•

要獲得更多活力，我可以……
（有什麼人或活動可以讓你提升能量？）

今天，我的首要任務是……

這件事情對我很重要，
因為……

•

要開始往前邁進，我可以做的
一小步是……

•

其他想法……

今天，我很感恩……

今天，我就工作到……

──────────── AM / PM

☀

6:00

7:00

8:00

9:00

10:00

11:00

12:00

1:00

2:00

3:00

4:00

5:00

6:00

7:00

8:00

☾

你超棒！征服這一天！ ✌ ♟ ♛

今天我感覺
（要誠實喔～）

枯竭　沒啥勁　還好　良好　能量滿滿

我會有這種感覺是因為……

-
-
-

要獲得更多活力，我可以……
（有什麼人或活動可以讓你提升能量？）

_____

_____

今天，我的首要任務是……

_____

_____

**這件事情對我很重要，
因為……**

-

**要開始往前邁進，我可以做的
一小步是……**

-

其他想法……

_____

_____

_____

_____

_____

今天，我很感恩……

_____

_____

今天，我就工作到……

―――――――――― AM / PM

☀

6:00

7:00

8:00

9:00

10:00

11:00

12:00

1:00

2:00

3:00

4:00

5:00

6:00

7:00

8:00

☾

你超棒！征服這一天！

今天我感覺
（要誠實喔～）

我會有這種感覺是因為……

-
-
-

要獲得更多活力，我可以……
（有什麼人或活動可以讓你提升能量？）

今天，我的首要任務是……

這件事情對我很重要，因為……

-

要開始往前邁進，我可以做的一小步是……

-

其他想法……

今天，我很感恩……

今天，我就工作到……

———————————— AM / PM

☀

6:00

7:00

8:00

9:00

10:00

11:00

12:00

1:00

2:00

3:00

4:00

5:00

6:00

7:00

8:00

☾

你超棒！征服這一天！ 💪 🏆

今天我感覺
（要誠實喔～）

我會有這種感覺是因為……

-
-
-

要獲得更多活力，我可以……
（有什麼人或活動可以讓你提升能量？）

_____

_____

今天，我的首要任務是……

_____

_____

**這件事情對我很重要，
因為……**

-

**要開始往前邁進，我可以做的
一小步是……**

-

其他想法……

今天，我很感恩……

_____

_____

_____
_____
_____
_____
_____
_____

┌─────────────────────────────┐
│　　　　**今天，我就工作到……**　　　　│
│　　　　　　　　　　　　　　　　　　　　　│
│　·································· AM / PM │
└─────────────────────────────┘

筆記——今日規劃——想法
（自由空間讓你的思緒更自由）

☀

6:00

7:00

8:00

9:00

10:00

11:00

12:00

1:00

2:00

3:00

4:00

5:00

6:00

7:00

8:00

☾

你超棒！征服這一天！

今天我感覺
（要誠實喔～）

枯竭　沒啥勁　還好　良好　能量滿滿

我會有這種感覺是因為……

·
·
·

要獲得更多活力，我可以……
（有什麼人或活動可以讓你提升能量？）

今天，我的首要任務是……

這件事情對我很重要，
因為……

·

要開始往前邁進，我可以做的
一小步是……

·

其他想法……

今天，我很感恩……

今天，我就工作到……

⸺ AM / PM

☀

6:00

7:00

8:00

9:00

10:00

11:00

12:00

1:00

2:00

3:00

4:00

5:00

6:00

7:00

8:00

☾

你超棒！征服這一天！

今天我感覺
（要誠實喔～）

枯竭　沒啥勁　還好　良好　能量滿滿

我會有這種感覺是因為……

-
-
-

要獲得更多活力，我可以……
（有什麼人或活動可以讓你提升能量？）

今天，我的首要任務是……

這件事情對我很重要，
因為……

-

要開始往前邁進，我可以做的
一小步是……

-

其他想法……

今天，我很感恩……

今天，我就工作到……

———————————— AM / PM

筆記——今日規劃——想法
（自由空間讓你的思緒更自由）

☀

6:00

7:00

8:00

9:00

10:00

11:00

12:00

1:00

2:00

3:00

4:00

5:00

6:00

7:00

8:00

☾

你超棒！征服這一天！

今天我感覺
（要誠實喔～）

枯竭　沒啥勁　還好　良好　能量滿滿

我會有這種感覺是因為……

·

·

·

要獲得更多活力，我可以……
（有什麼人或活動可以讓你提升能量？）

今天，我的首要任務是……

這件事情對我很重要，
因為……

·

要開始往前邁進，我可以做的
一小步是……

·

其他想法……

今天，我很感恩……

今天，我就工作到……

_____ AM / PM

☀

6:00

7:00

8:00

9:00

10:00

11:00

12:00

1:00

2:00

3:00

4:00

5:00

6:00

7:00

8:00

☾

你超棒！征服這一天！

今天我感覺
（要誠實喔～）

枯竭　沒啥勁　還好　良好　能量滿滿

我會有這種感覺是因為……

-
-
-

要獲得更多活力，我可以……
（有什麼人或活動可以讓你提升能量？）

_____

_____

今天，我的首要任務是……

_____

_____

這件事情對我很重要，因為……

-

要開始往前邁進，我可以做的一小步是……

-

其他想法……

_____
_____
_____
_____
_____
_____

今天，我很感恩……

_____
_____

今天，我就工作到……

—————————— AM / PM

☀

6:00

7:00

8:00

9:00

10:00

11:00

12:00

1:00

2:00

3:00

4:00

5:00

6:00

7:00

8:00

☾

你超棒！征服這一天！ 💪 ♟ 👑

今天我感覺
（要誠實喔～）

枯竭　沒啥勁　還好　良好　能量滿滿

我會有這種感覺是因為……

-
-
-

要獲得更多活力，我可以……
（有什麼人或活動可以讓你提升能量？）

今天，我的首要任務是……

這件事情對我很重要，
因為……

-

要開始往前邁進，我可以做的
一小步是……

-

其他想法……

今天，我很感恩……

今天，我就工作到……

—— AM / PM

☀

6:00

7:00

8:00

9:00

10:00

11:00

12:00

1:00

2:00

3:00

4:00

5:00

6:00

7:00

8:00

☾

你超棒！征服這一天！

今天我感覺
（要誠實喔～）

枯竭　沒啥勁　還好　良好　能量滿滿

我會有這種感覺是因為……

·

·

·

要獲得更多活力，我可以……
（有什麼人或活動可以讓你提升能量？）

今天，我的首要任務是……

這件事情對我很重要，
因為……

·

要開始往前邁進，我可以做的
一小步是……

·

其他想法……

今天，我很感恩……

今天，我就工作到……

----------------- AM / PM

☀

6:00

7:00

8:00

9:00

10:00

11:00

12:00

1:00

2:00

3:00

4:00

5:00

6:00

7:00

8:00

☾

你超棒!征服這一天!

今天我感覺
（要誠實喔～）

枯竭　沒啥勁　還好　良好　能量滿滿

我會有這種感覺是因為……

-
-
-

要獲得更多活力，我可以……
（有什麼人或活動可以讓你提升能量？）

今天，我的首要任務是……

這件事情對我很重要，
因為……

-

要開始往前邁進，我可以做的
一小步是……

-

其他想法……

今天，我很感恩……

今天，我就工作到……

———————— AM / PM

☀

6:00

7:00

8:00

9:00

10:00

11:00

12:00

1:00

2:00

3:00

4:00

5:00

6:00

7:00

8:00

☽

你超棒！征服這一天！

今天我感覺
（要誠實喔～）

枯竭　沒啥勁　還好　良好　能量滿滿

我會有這種感覺是因為……

-
-
-

要獲得更多活力，我可以……
（有什麼人或活動可以讓你提升能量？）

今天，我的首要任務是……

這件事情對我很重要，
因為……

-

要開始往前邁進，我可以做的
一小步是……

-

其他想法……

今天，我很感恩……

今天，我就工作到……

———————————— AM / PM

☀

6:00

7:00

8:00

9:00

10:00

11:00

12:00

1:00

2:00

3:00

4:00

5:00

6:00

7:00

8:00

☾

你超棒！征服這一天！

今天我感覺
(要誠實喔～)

我會有這種感覺是因為……

·
·
·

要獲得更多活力,我可以……
(有什麼人或活動可以讓你提升能量?)

今天,我的首要任務是……

這件事情對我很重要,
因為……

·

要開始往前邁進,我可以做的
一小步是……

·

其他想法……

今天,我很感恩……

今天,我就工作到……

·· AM / PM

☀

6:00

7:00

8:00

9:00

10:00

11:00

12:00

1:00

2:00

3:00

4:00

5:00

6:00

7:00

8:00

☾

你超棒！征服這一天！ 🫶🏆👑

今天我感覺
（要誠實喔～）

枯竭　沒啥勁　還好　良好　能量滿滿

我會有這種感覺是因為……

-
-
-

要獲得更多活力，我可以……
（有什麼人或活動可以讓你提升能量？）

今天，我的首要任務是……

這件事情對我很重要，
因為……

-

要開始往前邁進，我可以做的
一小步是……

-

其他想法……

今天，我很感恩……

今天，我就工作到……

———————————— AM / PM

☀

6:00

7:00

8:00

9:00

10:00

11:00

12:00

1:00

2:00

3:00

4:00

5:00

6:00

7:00

8:00

☾

你超棒！征服這一天！

今天我感覺
（要誠實喔～）

我會有這種感覺是因為……

•

•

•

要獲得更多活力，我可以……
（有什麼人或活動可以讓你提升能量？）

今天，我的首要任務是……

這件事情對我很重要，
因為……

•

要開始往前邁進，我可以做的
一小步是……

•

其他想法……

今天，我很感恩……

今天，我就工作到……

──────────── AM / PM

☀

6:00

7:00

8:00

9:00

10:00

11:00

12:00

1:00

2:00

3:00

4:00

5:00

6:00

7:00

8:00

☾

你超棒！征服這一天！

今天我感覺
（要誠實喔～）

我會有這種感覺是因為……

-
-
-

要獲得更多活力，我可以……
（有什麼人或活動可以讓你提升能量？）

今天，我的首要任務是……

這件事情對我很重要，
因為……

-

要開始往前邁進，我可以做的
一小步是……

-

其他想法……

今天，我很感恩……

今天，我就工作到……

.... AM / PM

☀

6:00

7:00

8:00

9:00

10:00

11:00

12:00

1:00

2:00

3:00

4:00

5:00

6:00

7:00

8:00

☾

你超棒！征服這一天！ 👊 👑

今天我感覺
（要誠實喔～）

我會有這種感覺是因為……

•

•

•

要獲得更多活力，我可以……
（有什麼人或活動可以讓你提升能量？）

今天，我的首要任務是……

這件事情對我很重要，
因為……

•

要開始往前邁進，我可以做的
一小步是……

•

其他想法……

今天，我很感恩……

今天，我就工作到……

———————————— AM / PM

☀

6:00

7:00

8:00

9:00

10:00

11:00

12:00

1:00

2:00

3:00

4:00

5:00

6:00

7:00

8:00

☾

你超棒！征服這一天！ 💪 🏆 👑

今天我感覺
（要誠實喔～）

枯竭　沒啥勁　還好　良好　能量滿滿

我會有這種感覺是因為……

•

•

•

要獲得更多活力，我可以……
（有什麼人或活動可以讓你提升能量？）

今天，我的首要任務是……

這件事情對我很重要，
因為……

•

要開始往前邁進，我可以做的
一小步是……

•

其他想法……

今天，我很感恩……

今天，我就工作到……

┈┈┈┈┈┈┈┈ AM / PM

筆記——今日規劃——想法
（自由空間讓你的思緒更自由）

☀

6:00

7:00

8:00

9:00

10:00

11:00

12:00

1:00

2:00

3:00

4:00

5:00

6:00

7:00

8:00

☾

你超棒！征服這一天！ 💪 🏆 👑

今天我感覺
（要誠實喔～）

枯竭　沒啥勁　還好　良好　能量滿滿

我會有這種感覺是因為……

·

·

·

要獲得更多活力，我可以……
（有什麼人或活動可以讓你提升能量？）

今天，我的首要任務是……

這件事情對我很重要，
因為……

·

要開始往前邁進，我可以做的
一小步是……

·

其他想法……

今天，我很感恩……

今天，我就工作到……

―――――――――――――― AM / PM

☀

6:00

7:00

8:00

9:00

10:00

11:00

12:00

1:00

2:00

3:00

4:00

5:00

6:00

7:00

8:00

☾

你超棒！征服這一天！ 💪 🏆 👑

今天我感覺
（要誠實喔～）

我會有這種感覺是因為……

-
-
-

要獲得更多活力，我可以……
（有什麼人或活動可以讓你提升能量？）

今天，我的首要任務是……

這件事情對我很重要，
因為……

-

要開始往前邁進，我可以做的
一小步是……

-

其他想法……

今天，我很感恩……

今天，我就工作到……

———————————— AM / PM

☀

6:00

7:00

8:00

9:00

10:00

11:00

12:00

1:00

2:00

3:00

4:00

5:00

6:00

7:00

8:00

🌙

你超棒!征服這一天! ✌🍸♛

今天我感覺
（要誠實喔～）

我會有這種感覺是因為……

-
-
-

要獲得更多活力，我可以……
（有什麼人或活動可以讓你提升能量？）

今天，我的首要任務是……

這件事情對我很重要，
因為……

-

要開始往前邁進，我可以做的
一小步是……

-

其他想法……

今天，我很感恩……

今天，我就工作到……

────────── AM / PM

筆記——今日規劃——想法
（自由空間讓你的思緒更自由）

☀

6:00

7:00

8:00

9:00

10:00

11:00

12:00

1:00

2:00

3:00

4:00

5:00

6:00

7:00

8:00

☾

你超棒！征服這一天！🤳 ♟ ♛

今天我感覺
（要誠實喔～）

我會有這種感覺是因為……

-
-
-

要獲得更多活力，我可以……
（有什麼人或活動可以讓你提升能量？）

今天，我的首要任務是……

這件事情對我很重要，
因為……

-

要開始往前邁進，我可以做的
一小步是……

-

其他想法……

今天，我很感恩……

今天，我就工作到……

———————————— AM / PM

☀

6:00

7:00

8:00

9:00

10:00

11:00

12:00

1:00

2:00

3:00

4:00

5:00

6:00

7:00

8:00

☾

你超棒！征服這一天！ 💪👑

今天我感覺
（要誠實喔～）

枯竭　沒啥勁　還好　良好　能量滿滿

我會有這種感覺是因為……

-
-
-

要獲得更多活力，我可以……
（有什麼人或活動可以讓你提升能量？）

今天，我的首要任務是……

這件事情對我很重要，
因為……

-

要開始往前邁進，我可以做的
一小步是……

-

其他想法……

今天，我很感恩……

今天，我就工作到……

———————————— AM / PM

筆記──今日規劃──想法
（自由空間讓你的思緒更自由）

☀

6:00

7:00

8:00

9:00

10:00

11:00

12:00

1:00

2:00

3:00

4:00

5:00

6:00

7:00

8:00

☾

你超棒！征服這一天！ ✍ 🏆

今天我感覺
（要誠實喔～）

枯竭　沒啥勁　還好　良好　能量滿滿

我會有這種感覺是因為……

-
-
-

要獲得更多活力，我可以……
（有什麼人或活動可以讓你提升能量？）

今天，我的首要任務是……

這件事情對我很重要，因為……

-

要開始往前邁進，我可以做的一小步是……

-

其他想法……

今天，我很感恩……

今天，我就工作到……

———————————— AM / PM

☀

6:00

7:00

8:00

9:00

10:00

11:00

12:00

1:00

2:00

3:00

4:00

5:00

6:00

7:00

8:00

☾

你超棒！征服這一天！

今天我感覺
（要誠實喔～）

枯竭　沒啥勁　還好　良好　能量滿滿

我會有這種感覺是因為……

-
-
-

要獲得更多活力，我可以……
（有什麼人或活動可以讓你提升能量？）

今天，我的首要任務是……

這件事情對我很重要，
因為……

-

要開始往前邁進，我可以做的
一小步是……

-

其他想法……

今天，我很感恩……

今天，我就工作到……

───────── AM / PM

☀

6:00

7:00

8:00

9:00

10:00

11:00

12:00

1:00

2:00

3:00

4:00

5:00

6:00

7:00

8:00

☾

你超棒！征服這一天！ 👏 🏆 👑

今天我感覺
（要誠實喔～）

枯竭　沒啥勁　還好　良好　能量滿滿

我會有這種感覺是因為……

-
-
-

要獲得更多活力，我可以……
（有什麼人或活動可以讓你提升能量？）

今天，我的首要任務是……

這件事情對我很重要，因為……

-

要開始往前邁進，我可以做的一小步是……

-

其他想法……

今天，我很感恩……

今天，我就工作到……

———————— AM / PM

☀

6:00

7:00

8:00

9:00

10:00

11:00

12:00

1:00

2:00

3:00

4:00

5:00

6:00

7:00

8:00

☾

你超棒！征服這一天！💪👑

今天我感覺
（要誠實喔～）

我會有這種感覺是因為……

-
-
-

要獲得更多活力，我可以……
（有什麼人或活動可以讓你提升能量？）

_____

_____

今天，我的首要任務是……

_____

_____

這件事情對我很重要，
因為……

-

要開始往前邁進，我可以做的
一小步是……

-

其他想法……

_____
_____
_____
_____
_____

今天，我很感恩……

_____

今天，我就工作到……

_____ AM / PM

筆記——今日規劃——想法
（自由空間讓你的思緒更自由）

☀

6:00

7:00

8:00

9:00

10:00

11:00

12:00

1:00

2:00

3:00

4:00

5:00

6:00

7:00

8:00

☾

你超棒！征服這一天！

今天我感覺
（要誠實喔～）

我會有這種感覺是因為……

-
-
-

要獲得更多活力，我可以……
（有什麼人或活動可以讓你提升能量？）

今天，我的首要任務是……

這件事情對我很重要，
因為……

要開始往前邁進，我可以做的
一小步是……

-

-

其他想法……

今天，我很感恩……

今天，我就工作到……

———————————— AM / PM

☀

6:00

7:00

8:00

9:00

10:00

11:00

12:00

1:00

2:00

3:00

4:00

5:00

6:00

7:00

8:00

☾

你超棒！征服這一天！

今天我感覺
（要誠實喔～）

枯竭　沒啥勁　還好　良好　能量滿滿

我會有這種感覺是因為……

-
-
-

要獲得更多活力，我可以……
（有什麼人或活動可以讓你提升能量？）

今天，我的首要任務是……

這件事情對我很重要，
因為……

-

其他想法……

要開始往前邁進，我可以做的
一小步是……

-

今天，我很感恩……

今天，我就工作到……

──────── AM / PM

筆記——今日規劃——想法
（自由空間讓你的思緒更自由）

☀

6:00

7:00

8:00

9:00

10:00

11:00

12:00

1:00

2:00

3:00

4:00

5:00

6:00

7:00

8:00

☾

你超棒！征服這一天！ ♞♟♛

時間　　　　 地點　　　　　　　　　　　　　　　日期

今天我感覺
（要誠實喔～）

我會有這種感覺是因為……

-
-
-

要獲得更多活力，我可以……
（有什麼人或活動可以讓你提升能量？）

今天，我的首要任務是……

這件事情對我很重要，
因為……

-

其他想法……

要開始往前邁進，我可以做的
一小步是……

-

今天，我很感恩……

今天，我就工作到……

⸺⸺⸺⸺⸺⸺ AM / PM

☀

6:00

7:00

8:00

9:00

10:00

11:00

12:00

1:00

2:00

3:00

4:00

5:00

6:00

7:00

8:00

☾

你超棒！征服這一天！

今天我感覺
（要誠實喔～）

我會有這種感覺是因為……

-
-
-

要獲得更多活力，我可以……
（有什麼人或活動可以讓你提升能量？）

今天，我的首要任務是……

這件事情對我很重要，
因為……

-

要開始往前邁進，我可以做的
一小步是……

-

其他想法……

今天，我很感恩……

今天，我就工作到……

―――――――――――――― AM / PM

☀

6:00

7:00

8:00

9:00

10:00

11:00

12:00

1:00

2:00

3:00

4:00

5:00

6:00

7:00

8:00

☾

你超棒！征服這一天！ 🏃 🏆 👑

今天我感覺
（要誠實喔～）

枯竭　沒啥勁　還好　良好　能量滿滿

我會有這種感覺是因為……

•

•

•

要獲得更多活力，我可以……
（有什麼人或活動可以讓你提升能量？）

今天，我的首要任務是……

這件事情對我很重要，
因為……

•

要開始往前邁進，我可以做的
一小步是……

•

其他想法……

今天，我很感恩……

今天，我就工作到……

—— AM / PM

☀

6:00

7:00

8:00

9:00

10:00

11:00

12:00

1:00

2:00

3:00

4:00

5:00

6:00

7:00

8:00

☾

你超棒！征服這一天！

今天我感覺
（要誠實喔～）

我會有這種感覺是因為……

-
-
-

要獲得更多活力，我可以……
（有什麼人或活動可以讓你提升能量？）

_____

_____

今天，我的首要任務是……

_____

_____

這件事情對我很重要，
因為……

-

要開始往前邁進，我可以做的
一小步是……

-

其他想法……

_____
_____
_____
_____
_____
_____

今天，我很感恩……

_____
_____

今天，我就工作到……

.... AM / PM

☀

6:00

7:00

8:00

9:00

10:00

11:00

12:00

1:00

2:00

3:00

4:00

5:00

6:00

7:00

8:00

☾

你超棒！征服這一天！ 🏄 🏋 ♛

今天我感覺
（要誠實喔～）

我會有這種感覺是因為⋯⋯

-
-
-

要獲得更多活力，我可以⋯⋯
（有什麼人或活動可以讓你提升能量？）

今天，我的首要任務是⋯⋯

這件事情對我很重要，
因為⋯⋯

-

要開始往前邁進，我可以做的
一小步是⋯⋯

-

其他想法⋯⋯

今天，我很感恩⋯⋯

今天，我就工作到⋯⋯

_____ AM / PM

☀

6:00

7:00

8:00

9:00

10:00

11:00

12:00

1:00

2:00

3:00

4:00

5:00

6:00

7:00

8:00

☾

你超棒！征服這一天！ 🖐 🏆 👑

今天我感覺
（要誠實喔～）

我會有這種感覺是因為……

-
-
-

要獲得更多活力，我可以……
（有什麼人或活動可以讓你提升能量？）

今天，我的首要任務是……

這件事情對我很重要，
因為……

-

要開始往前邁進，我可以做的
一小步是……

-

其他想法……

今天，我很感恩……

今天，我就工作到……

⸺⸺⸺⸺ AM / PM

☀

6:00

7:00

8:00

9:00

10:00

11:00

12:00

1:00

2:00

3:00

4:00

5:00

6:00

7:00

8:00

☾

你超棒！征服這一天！

今天我感覺
（要誠實喔～）

我會有這種感覺是因為……

-
-
-

要獲得更多活力，我可以……
（有什麼人或活動可以讓你提升能量？）

今天，我的首要任務是……

這件事情對我很重要，
因為……

-

要開始往前邁進，我可以做的
一小步是……

-

其他想法……

今天，我很感恩……

今天，我就工作到……

　　　　　　　　　　　AM / PM

☀

6:00

7:00

8:00

9:00

10:00

11:00

12:00

1:00

2:00

3:00

4:00

5:00

6:00

7:00

8:00

☾

你超棒！征服這一天！ 👊 🏆

今天我感覺
(要誠實喔～)

我會有這種感覺是因為……

·

·

·

枯竭　沒啥勁　還好　良好　能量滿滿

要獲得更多活力，我可以……
(有什麼人或活動可以讓你提升能量？)

今天，我的首要任務是……

這件事情對我很重要，
因為……

·

要開始往前邁進，我可以做的
一小步是……

·

其他想法……

今天，我很感恩……

今天，我就工作到……

.... AM / PM

☀

6:00

7:00

8:00

9:00

10:00

11:00

12:00

1:00

2:00

3:00

4:00

5:00

6:00

7:00

8:00

☾

你超棒！征服這一天！ 💪 🏆 👑

今天我感覺
（要誠實喔～）

枯竭　沒啥勁　還好　良好　能量滿滿

我會有這種感覺是因為……

-
-
-

要獲得更多活力，我可以……
（有什麼人或活動可以讓你提升能量？）

今天，我的首要任務是……

這件事情對我很重要，
因為……

-

要開始往前邁進，我可以做的
一小步是……

-

其他想法……

今天，我很感恩……

今天，我就工作到……

──────────── AM / PM

☀

6:00

7:00

8:00

9:00

10:00

11:00

12:00

1:00

2:00

3:00

4:00

5:00

6:00

7:00

8:00

☾

你超棒！征服這一天！

今天我感覺
（要誠實喔～）

枯竭　沒啥勁　還好　良好　能量滿滿

我會有這種感覺是因為……

-
-
-

要獲得更多活力，我可以……
（有什麼人或活動可以讓你提升能量？）

今天，我的首要任務是……

這件事情對我很重要，
因為……

-

其他想法……

要開始往前邁進，我可以做的
一小步是……

-

今天，我很感恩……

今天，我就工作到……

———————————— AM / PM

☀

6:00

7:00

8:00

9:00

10:00

11:00

12:00

1:00

2:00

3:00

4:00

5:00

6:00

7:00

8:00

☾

你超棒！征服這一天！💪 🏆 👑

今天我感覺
（要誠實喔～）

我會有這種感覺是因為……

-
-
-

要獲得更多活力，我可以……
（有什麼人或活動可以讓你提升能量？）

今天，我的首要任務是……

這件事情對我很重要，
因為……

-

要開始往前邁進，我可以做的
一小步是……

-

其他想法……

今天，我很感恩……

今天，我就工作到……

———— AM / PM

☀

6:00

7:00

8:00

9:00

10:00

11:00

12:00

1:00

2:00

3:00

4:00

5:00

6:00

7:00

8:00

☾

你超棒！征服這一天！

今天我感覺
（要誠實喔～）

枯竭　沒啥勁　還好　良好　能量滿滿

我會有這種感覺是因為……

-
-
-

要獲得更多活力，我可以……
（有什麼人或活動可以讓你提升能量？）

今天，我的首要任務是……

這件事情對我很重要，
因為……

-

要開始往前邁進，我可以做的
一小步是……

-

其他想法……

今天，我很感恩……

今天，我就工作到……

———————————— AM / PM

筆記——今日規劃——想法
（自由空間讓你的思緒更自由）

☀

6:00

7:00

8:00

9:00

10:00

11:00

12:00

1:00

2:00

3:00

4:00

5:00

6:00

7:00

8:00

☾

你超棒！征服這一天！

今天我感覺
（要誠實喔～）

枯竭　沒啥勁　還好　良好　能量滿滿

我會有這種感覺是因為……

·

·

·

要獲得更多活力，我可以……
（有什麼人或活動可以讓你提升能量？）

今天，我的首要任務是……

這件事情對我很重要，
因為……

·

要開始往前邁進，我可以做的
一小步是……

·

其他想法……

今天，我很感恩……

今天，我就工作到……

————————————— AM / PM

☀

6:00

7:00

8:00

9:00

10:00

11:00

12:00

1:00

2:00

3:00

4:00

5:00

6:00

7:00

8:00

☾

你超棒！征服這一天！

今天我感覺
（要誠實喔～）

枯竭　沒啥勁　還好　良好　能量滿滿

我會有這種感覺是因為……

-
-
-

要獲得更多活力，我可以……
（有什麼人或活動可以讓你提升能量？）

今天，我的首要任務是……

這件事情對我很重要，
因為……

-

其他想法……

要開始往前邁進，我可以做的
一小步是……

-

今天，我很感恩……

今天，我就工作到……

.... AM / PM

☀

6:00

7:00

8:00

9:00

10:00

11:00

12:00

1:00

2:00

3:00

4:00

5:00

6:00

7:00

8:00

☾

你超棒！征服這一天！ 🙌 ⛏ 👑

今天我感覺
（要誠實喔～）

我會有這種感覺是因為……

-
-
-

要獲得更多活力，我可以……
（有什麼人或活動可以讓你提升能量？）

今天，我的首要任務是……

這件事情對我很重要，
因為……

-

要開始往前邁進，我可以做的
一小步是……

-

其他想法……

今天，我很感恩……

今天，我就工作到……

———————————— AM / PM

☀

6:00

7:00

8:00

9:00

10:00

11:00

12:00

1:00

2:00

3:00

4:00

5:00

6:00

7:00

8:00

☾

你超棒！征服這一天！

今天我感覺
（要誠實喔～）

枯竭　沒啥勁　還好　良好　能量滿滿

我會有這種感覺是因為……

-
-
-

要獲得更多活力，我可以……
（有什麼人或活動可以讓你提升能量？）

今天，我的首要任務是……

這件事情對我很重要，
因為……

-

要開始往前邁進，我可以做的
一小步是……

-

其他想法……

今天，我很感恩……

今天，我就工作到……

———————————————— AM / PM

☀

6:00

7:00

8:00

9:00

10:00

11:00

12:00

1:00

2:00

3:00

4:00

5:00

6:00

7:00

8:00

☾

你超棒！征服這一天！

今天我感覺
（要誠實喔～）

枯竭　沒啥勁　還好　良好　能量滿滿

我會有這種感覺是因為……

-
-
-

要獲得更多活力，我可以……
（有什麼人或活動可以讓你提升能量？）

今天，我的首要任務是……

這件事情對我很重要，
因為……

-

要開始往前邁進，我可以做的
一小步是……

-

其他想法……

今天，我很感恩……

今天，我就工作到……

———————————— AM / PM

☀

6:00

7:00

8:00

9:00

10:00

11:00

12:00

1:00

2:00

3:00

4:00

5:00

6:00

7:00

8:00

☾

你超棒！征服這一天！

今天我感覺
（要誠實喔～）

枯竭　沒啥勁　還好　良好　能量滿滿

我會有這種感覺是因為……

·

·

·

要獲得更多活力，我可以……
（有什麼人或活動可以讓你提升能量？）

今天，我的首要任務是……

這件事情對我很重要，
因為……

·

其他想法……

要開始往前邁進，我可以做的
一小步是……

·

今天，我很感恩……

今天，我就工作到……

———— AM / PM

☀

6:00

7:00

8:00

9:00

10:00

11:00

12:00

1:00

2:00

3:00

4:00

5:00

6:00

7:00

8:00

☾

你超棒！征服這一天！

今天我感覺
（要誠實喔～）

我會有這種感覺是因為……

-
-
-

要獲得更多活力，我可以……
（有什麼人或活動可以讓你提升能量？）

今天，我的首要任務是……

這件事情對我很重要，
因為……

-

要開始往前邁進，我可以做的
一小步是……

-

其他想法……

今天，我很感恩……

今天，我就工作到……

⋯⋯⋯⋯⋯⋯⋯⋯⋯ AM / PM

☀

6:00

7:00

8:00

9:00

10:00

11:00

12:00

1:00

2:00

3:00

4:00

5:00

6:00

7:00

8:00

☾

你超棒！征服這一天！

今天我感覺
（要誠實喔～）

我會有這種感覺是因為……

-
-
-

要獲得更多活力，我可以……
（有什麼人或活動可以讓你提升能量？）

今天，我的首要任務是……

這件事情對我很重要，
因為……

-

要開始往前邁進，我可以做的
一小步是……

-

其他想法……

今天，我很感恩……

今天，我就工作到……

——————————— AM / PM

☀

6:00

7:00

8:00

9:00

10:00

11:00

12:00

1:00

2:00

3:00

4:00

5:00

6:00

7:00

8:00

☾

你超棒！征服這一天！ ⋘ 🏃 👑

今天我感覺
（要誠實喔～）

柏竭　沒啥勁　還好　良好　能量滿滿

我會有這種感覺是因為……

-
-
-

要獲得更多活力，我可以……
（有什麼人或活動可以讓你提升能量？）

今天，我的首要任務是……

這件事情對我很重要，
因為……

-

要開始往前邁進，我可以做的
一小步是……

-

其他想法……

今天，我很感恩……

今天，我就工作到……

———————— AM / PM

筆記——今日規劃——想法
(自由空間讓你的思緒更自由)

☀

6:00

7:00

8:00

9:00

10:00

11:00

12:00

1:00

2:00

3:00

4:00

5:00

6:00

7:00

8:00

☾

你超棒！征服這一天！

今天我感覺
（要誠實喔～）

枯竭　沒啥勁　還好　良好　能量滿滿

我會有這種感覺是因為……

-
-
-

要獲得更多活力，我可以……
（有什麼人或活動可以讓你提升能量？）

今天，我的首要任務是……

這件事情對我很重要，
因為……

-

其他想法……

要開始往前邁進，我可以做的
一小步是……

-

今天，我很感恩……

今天，我就工作到……

———————————————— AM / PM

☀

6:00

7:00

8:00

9:00

10:00

11:00

12:00

1:00

2:00

3:00

4:00

5:00

6:00

7:00

8:00

☾

你超棒！征服這一天！

今天我感覺
（要誠實喔～）

枯竭　沒啥勁　還好　良好　能量滿滿

我會有這種感覺是因為……

·

·

·

要獲得更多活力，我可以……
（有什麼人或活動可以讓你提升能量？）

今天，我的首要任務是……

這件事情對我很重要，
因為……

·

要開始往前邁進，我可以做的
一小步是……

·

其他想法……

今天，我很感恩……

今天，我就工作到……

———————————— AM / PM

☀

6:00

7:00

8:00

9:00

10:00

11:00

12:00

1:00

2:00

3:00

4:00

5:00

6:00

7:00

8:00

☾

你超棒！征服這一天！

時間　　　　　 地點　　　　　　　　　　　　　日期

今天我感覺
（要誠實喔～）

枯竭　沒啥勁　還好　良好　能量滿滿

我會有這種感覺是因為……

-
-
-

要獲得更多活力，我可以……
（有什麼人或活動可以讓你提升能量？）

今天，我的首要任務是……

這件事情對我很重要，
因為……

-

要開始往前邁進，我可以做的
一小步是……

-

其他想法……

今天，我很感恩……

今天，我就工作到……

-------------------------------- AM / PM

☀

6:00

7:00

8:00

9:00

10:00

11:00

12:00

1:00

2:00

3:00

4:00

5:00

6:00

7:00

8:00

☾

你超棒！征服這一天！

今天我感覺
（要誠實喔～）

枯竭　沒啥勁　還好　良好　能量滿滿

我會有這種感覺是因為……

・
・
・

要獲得更多活力，我可以……
（有什麼人或活動可以讓你提升能量？）

今天，我的首要任務是……

這件事情對我很重要，
因為……

・

要開始往前邁進，我可以做的
一小步是……

・

其他想法……

今天，我很感恩……

今天，我就工作到……

⸻⸻⸻ AM / PM

☀️

6:00

7:00

8:00

9:00

10:00

11:00

12:00

1:00

2:00

3:00

4:00

5:00

6:00

7:00

8:00

🌙

你超棒！征服這一天！

今天我感覺
(要誠實喔～)

枯竭　沒啥勁　還好　良好　能量滿滿

我會有這種感覺是因為……

·

·

·

要獲得更多活力，我可以……
(有什麼人或活動可以讓你提升能量？)

今天，我的首要任務是……

這件事情對我很重要，
因為……

·

要開始往前邁進，我可以做的
一小步是……

·

其他想法……

今天，我很感恩……

今天，我就工作到……

·· AM / PM

筆記——今日規劃——想法
（自由空間讓你的思緒更自由）

☀

6:00

7:00

8:00

9:00

10:00

11:00

12:00

1:00

2:00

3:00

4:00

5:00

6:00

7:00

8:00

☾

你超捧！征服這一天！

今天我感覺
（要誠實喔～）

我會有這種感覺是因為……

-
-
-

要獲得更多活力，我可以……
（有什麼人或活動可以讓你提升能量？）

_____

_____

今天，我的首要任務是……

_____

_____

這件事情對我很重要，
因為……

-

其他想法……

_____
_____
_____
_____
_____

要開始往前邁進，我可以做的
一小步是……

-

今天，我很感恩……

_____

今天，我就工作到……

------------------------------- AM / PM

☀️

6:00

7:00

8:00

9:00

10:00

11:00

12:00

1:00

2:00

3:00

4:00

5:00

6:00

7:00

8:00

🌙

你超棒！征服這一天！ 💪👑

今天我感覺
（要誠實喔～）

我會有這種感覺是因為……

-
-
-

要獲得更多活力，我可以……
（有什麼人或活動可以讓你提升能量？）

今天，我的首要任務是……

這件事情對我很重要，
因為……

-

要開始往前邁進，我可以做的
一小步是……

-

其他想法……

今天，我很感恩……

今天，我就工作到……

————————————— AM / PM

筆記——今日規劃——想法
(自由空間讓你的思緒更自由)

☀

6:00

7:00

8:00

9:00

10:00

11:00

12:00

1:00

2:00

3:00

4:00

5:00

6:00

7:00

8:00

☾

你超棒！征服這一天！

今天我感覺
（要誠實喔～）

枯竭　沒啥勁　還好　良好　能量滿滿

我會有這種感覺是因為……

-
-
-

要獲得更多活力，我可以……
（有什麼人或活動可以讓你提升能量？）

今天，我的首要任務是……

這件事情對我很重要，
因為……

-

要開始往前邁進，我可以做的
一小步是……

-

其他想法……

今天，我很感恩……

今天，我就工作到……

———————————— AM / PM

☀

6:00

7:00

8:00

9:00

10:00

11:00

12:00

1:00

2:00

3:00

4:00

5:00

6:00

7:00

8:00

☾

你超棒！征服這一天！

今天我感覺
（要誠實喔～）

枯竭　沒啥勁　還好　良好　能量滿滿

我會有這種感覺是因為……

-
-
-

要獲得更多活力，我可以……
（有什麼人或活動可以讓你提升能量？）

今天，我的首要任務是……

這件事情對我很重要，
因為……

-

要開始往前邁進，我可以做的
一小步是……

-

其他想法……

今天，我很感恩……

今天，我就工作到……

⋯⋯⋯⋯⋯⋯ AM / PM

☀

6:00

7:00

8:00

9:00

10:00

11:00

12:00

1:00

2:00

3:00

4:00

5:00

6:00

7:00

8:00

☾

你超棒！征服這一天！ ✌♟♛

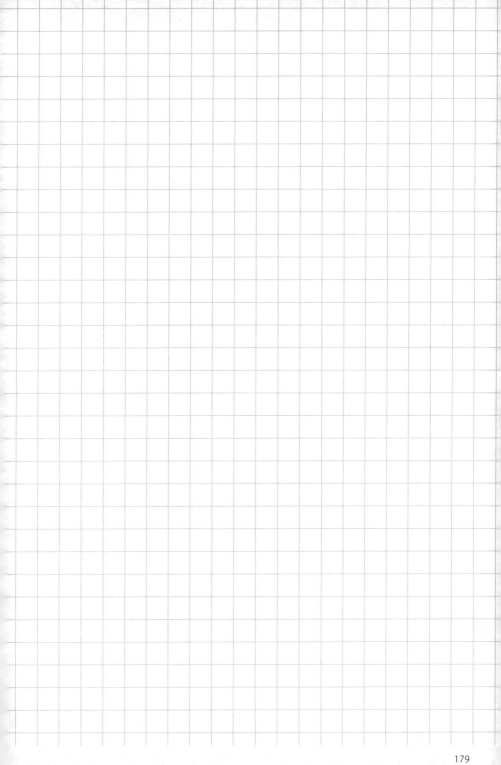

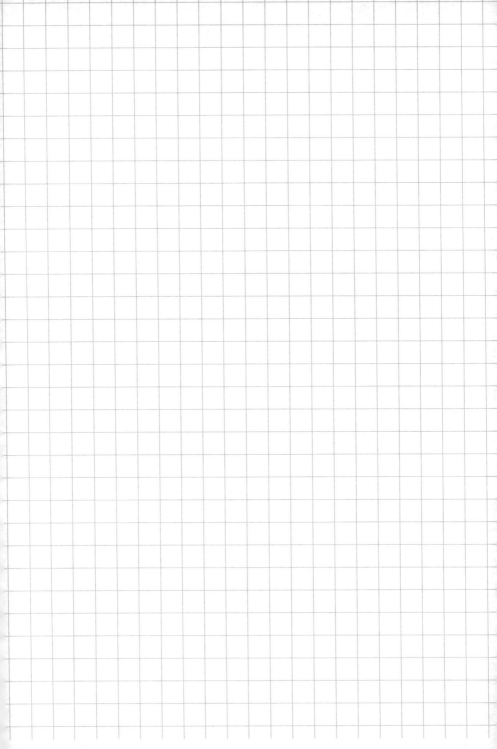

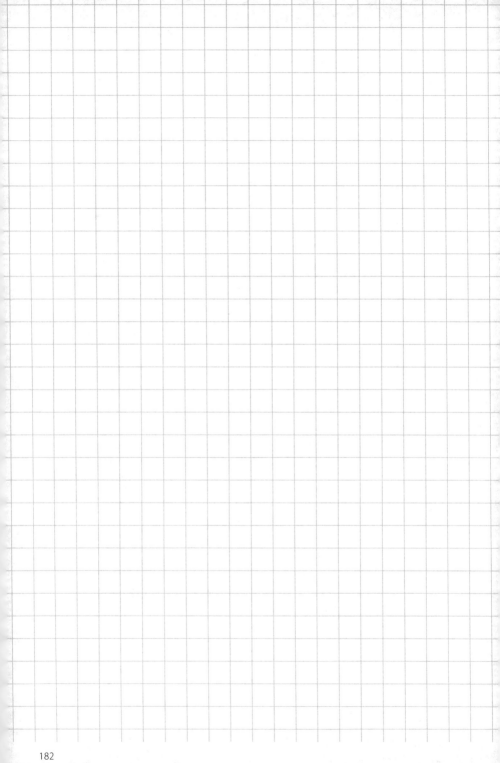

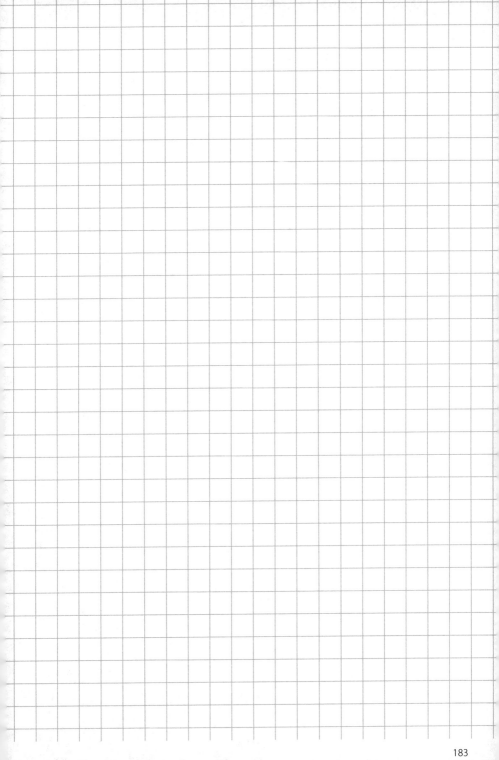

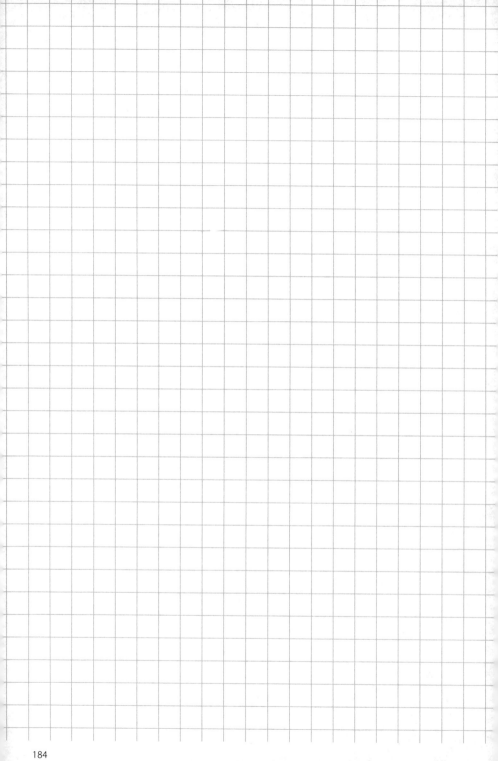

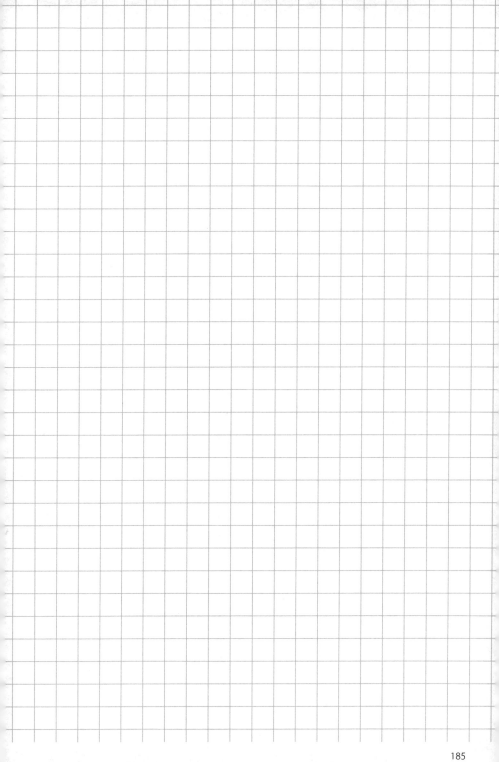

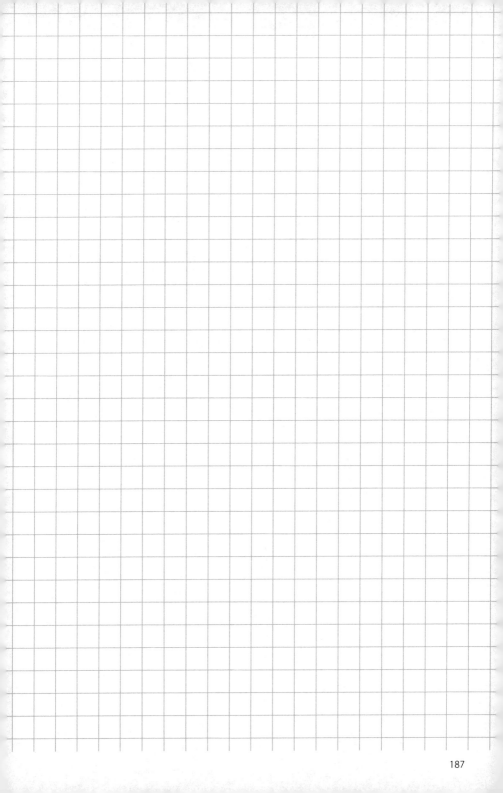

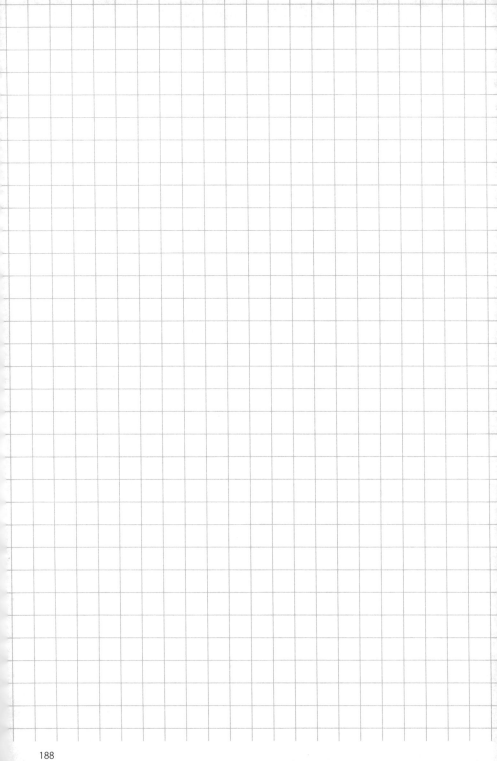

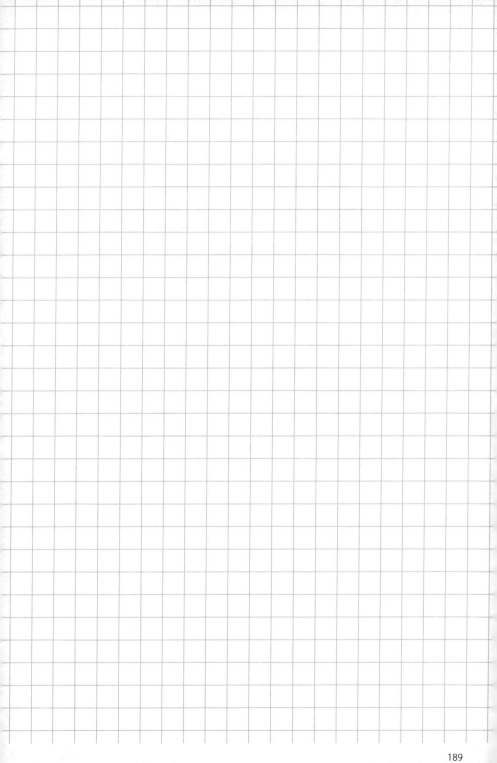

別到這裡就停了！
繼續執行不可思議的
美妙專案

　　這本五秒法則行動筆記雖然已到盡頭，但離你的旅程終點還很遠呢。你才剛剛開始發現內心深處的美妙感覺，我想幫助你加強這一點。

　　你已經學會了 5-4-3-2-1 把事情迅速做完、做好，現在，我邀請你加入一個持續壯大中的網路行動，這項行動旨在把你和你所需要的工具與支援聯繫起來，讓你每天都能觸碰到內心的美妙。

　　這個美妙的活動叫做什麼呢？當然就是不可思議的美妙專案！

p.s. 想知道更多，請至……
www.melrobbins.com/ProjectAwesome

作者簡介

梅爾‧羅賓斯（Mel Robbins）

知名 TED 講者。CNN 空中評論員和專欄作家，也是暢銷書作家和美國最受歡迎的主講人之一。

原本在紐約市擔任刑事辯護律師，隨後推出並出售了幾家公司，並為 A&E、FOX、Cox Media 和 CNN 主持電視和廣播節目。

目前主要教導世界領先品牌的領導階層「如何打破自我懷疑的習慣」，建立起在工作和生活中的信心和勇氣。梅爾是達特茅斯學院和波士頓大學法學院的畢業生，她和結縭十八年的丈夫有三個孩子。住在波士頓地區，但仍保有一名中西部人的心。

譯者簡介

吳宜蓁

英國羅浮堡大學圖書資訊碩士。從事文字工作多年，喜愛接觸不同的主題與文化，樂於在翻譯過程中不斷充實與成長。譯有《五秒法則》、《追月亮的女孩》、《凱特任務》、《一無所有的力量》等。

心|視野　心視野系列 053

五秒法則行動筆記的力量
倒數 54321，GO！超效計畫每一天

The 5 Second Journal: The Best Daily Journal and Fastest Way to Slow Down, Power Up, and Get Sh*t Done

作　　者　梅爾‧羅賓斯（Mel Robbins）
譯　　者　吳宜蓁
總 編 輯　何玉美
主　　編　林俊安
責任編輯　林謹瓊
封面設計　FE 工作室
內文排版　許貴華

出版發行　采實文化事業股份有限公司
行銷企劃　陳佩宜‧黃于庭‧馮羿勳‧蔡雨庭
業務發行　張世明‧林踏欣‧林坤蓉‧王貞玉
國際版權　王俐雯‧林冠妤
印務採購　曾玉霞
會計行政　王雅蕙‧李韶婉
法律顧問　第一國際法律事務所　余淑杏律師
電子信箱　acme@acmebook.com.tw
采實官網　www.acmebook.com.tw
采實臉書　www.facebook.com/acmebook01

I S B N　978-986-507-024-3
定　　價　300 元
初版一刷　2019 年 8 月
劃撥帳號　50148859
劃撥戶名　采實文化事業股份有限公司
　　　　　104 台北市中山區南京東路二段 95 號 9 樓
　　　　　電話：(02)2511-9798　傳真：(02)2571-3298

國家圖書館出版品預行編目資料

五秒法則行動筆記的力量：倒數 54321，GO！超效計畫每一天 / 梅爾．羅賓斯 (Mel Robbins) 著；吳宜蓁譯 . -- 初版 . -- 台北市：采實文化，2019.08
192 面；14.8×21 公分 . -- (心視野系列；53)
譯自：The 5 Second Journal: The Best Daily Journal and Fastest Way to Slow Down, Power Up, and Get Sh*t Done
ISBN 978-986-507-024-3(平裝)
1. 成功法 2. 自我肯定

177.2　　　　　　　　　　　　　　　108010366